Gallimard Jeunesse/Giboulées
sous la direction de Colline Faure-Poirée
© Éditions Gallimard Jeunesse, 2007
ISBN : 978-2-07-061399-1
Numéro d'édition : 290678
Premier Dépôt légal : avril 2007
Dépôt légal : mai 2015
Loi n° 49956 du 16 juillet 1949
sur les publications destinées à la jeunesse
Imprimé en France par Pollina - n° L72298K

Bénédicte Guettier

L'ÂNE TROTRO DESSINE

GALLiMARD jeunesse GiBOULÉes

AUJOURD'HUI, À L'ÉCOLE,
TROTRO DOIT FAIRE UN
BEAU DESSIN.
MAIS IL N'A PAS D'IDÉE.

ET IL SE SENT TRÈS
FATIGUÉ.
ALORS IL S'ENDORT SUR
SON BUREAU.

IL RÊVE QU'IL EST
EN AFRIQUE, ET
IL VOIT UNE
GIRAFE ET UN
ZÈBRE.

IL JOUE À FAIRE
LA COURSE AVEC EUX.

SOUDAIN APPARAISSENT UN LÉOPARD ET UN CROCODILE

QUI VEULENT MANGER LA
GIRAFE ET LE ZÈBRE.

HEUREUSEMENT, ILS APERÇOIVENT
TROTRO, ET COMME ILS N'ONT

JAMAIS VU UN PETIT ÂNE, ILS ONT TRÈS PEUR ET SE SAUVENT.

Á CE MOMENT-LÀ, TROTRO
SE RÉVEILLE. IL N'A PAS
COMMENCÉ SON DESSIN, MAIS
IL A PLEIN D'IDÉES.

ALORS VITE, IL DESSINE
LES IMAGES DE SON RÊVE.

BRAVO TROTRO! LUI DIT
SA MAÎTRESSE.